U0064622

劉福春・李怡 主編

民國文學珍稀文獻集成

第一輯

新詩舊集影印叢編　第26冊

【《新詩年選》卷】

新詩年選

（1919年）

上海：亞東圖書館 1922年8月版

北社　編

花木蘭文化出版社

國家圖書館出版品預行編目資料

新詩年選(1919 年)／北社　編 — 初版 — 新北市：花木蘭文化出版社，
2016〔民 105〕
282 面；19 ×26 公分
（民國文學珍稀文獻集成・第一輯・新詩舊集影印叢編　第 26 冊）
ISBN：978-986-404-622-5（套書精裝）
831.8　　105002931

ISBN-978-986-404-622-5

民國文學珍稀文獻集成・第一輯・新詩舊集影印叢編（1-50 冊）
第 26 冊

新詩年選 (1919 年)

編　者　北社
主　編　劉福春、李怡
企　劃　首都師範大學中國詩歌研究中心
　　　　北京師範大學民國歷史文化與文學研究中心
　　　　（臺灣）政治大學民國歷史文化與文學研究中心
總編輯　杜潔祥
副總編輯　楊嘉樂
編　輯　許郁翎
出　版　花木蘭文化出版社
社　長　高小娟
聯絡地址　235 新北市中和區中安街七二號十三樓
　　　　電話：02-2923-1455／傳真：02-2923-1452
網　址　http://www.huamulan.tw　信箱　hml 810518@gmail.com
印　刷　普羅文化出版廣告事業
初　版　2016 年 4 月
定　價　第一輯 1-50 冊（精裝）新台幣 120,000 元

新詩年選
(1919年)

北社 編

亞東圖書館(上海)一九二二年八月初版。原書三十二開。

新詩年選
北社編
一九一九年

弁言

北社是個讀書團體，是個賞鑑文藝的團體，毫無取乎發洩。我們廣集新詩固不無采風之意，而爲受用實占一半。賞鑑之餘，隨其所好而爲批評，也是很尋常的。兩年以來，全本這個意思自處。不過專這樣做下去，似乎也自爲太多而爲人太少了。所以我們以工餘從事選集，把歷年的新詩按年刊成雜誌，號爲新詩年選，以餉同好。自從孔子刪詩，爲詩選之祖，而我們得從二千年後，讀其詩想見二千年前的社會情形。中國新文學自五四運動後而大昌，凡一切制度文物都得要隨世界潮流激變；今人要采風，後人要考古，都有賴乎徵詩。若說以這部雜誌當這種重任，固不是我們所敢奢望的。

這是一九一九年版。一九一九年以前的新詩也附選在內。以後當按年續出。選編的凡例大要如左：

（一）折衷於主觀與客觀之間，又略取兼收並蓄。凡其詩內容為我們讚許的，雖藝術稍次點也收；其不為我們所讚許，而藝術特好的也收。

（二）對於其著者不大作詩的選得稍寬；對於常作詩的選得更嚴；其有集子行世的選得更嚴。

（三）凡選入的詩都認為在水平線以上，不加次第（卻不是說凡沒選的都不在水平線以上。）人名以筆畫繁簡為序，詩以年月先後為序。也沒有分類。我們覺得詩是很不容易分類的。

（四）偶有批評，只發表讀者個人的印象，不强人以從同。本社同人也不負共同的責任；但相對的責任卻是敢負的。

（五）為便於同好的觀摩起見，偶有删節的地方，對於原著者不能不道歉！但改竄卻是沒有的；我們也不敢，除非印刷上有錯落。

我們編這部雜誌非常謹嚴。所選入的，不過備選的詩全數六分之一。我們還是不敢說對。所望讀者勿吝賜教，使我們知道逐漸改良，就萬幸了！

一九二二年四月，北社同人。

啓事

北社徵文啓事

本社爲公開文藝鑑賞起見，特徵求對於新詩分首的批評及關於新詩的論文。兩種都以沒經發表過的爲限。詩評最好請附原詩；否則請詳註原詩出處。論文以在三千字以內而涵義豐富者爲佳。登載後當酌贈新詩年選，藉酬雅意。惟原稿勿論登載與否，恕不寄還，除非經原著者特別聲明。倘望海內外文藝大家，勿吝珠玉，爲幸！

賜稿請寄上海亞東圖書館轉交北社新詩年選編輯部收。

新詩年選目錄：—

弁言
詩選：

目次

目錄

餘載

■卜生

送報（星期日第二十號）

（一[illegible]）（十月二十日）

第一次送報，便遇着整天的雨。
我心頭卻是無限的喜歡，覺得這是我第一次實行勞工主義。
記得送到某官廳，那官廳的收發擺出居高臨下的樣子；

記得送到某公館，那公館的主人做出責問僕
人的口氣，——
一處怪昨天怎麼不送來，一處怪今天送來太
遲了。
我心頭仍是無限的喜歡，覺得今天才端詳了
現社會待遇勞工的形相。

（附註）十五號的星期日因爲增刊教育號遲送一天
，各報先有啓事。

（二）（十月二十六日）

今天早起，依舊服着學生裝，攜着我最親愛
的星期日，
抖擻精神出了街。

很可愛，東方的太陽剛剛上來，稀寥寥的星兒還在那碧油油的天裏。

更可愛，賣花的朋友早也提起花籃，游行街上。

這樣的新空氣裏，怎當他更加上那種清香。

那自由的飛鳥啊，住在這新鮮愉快的清晨，叫他怎麼不高聲歌唱？

這正是我最優厚的報酬，也是我最難忘的時候。

編者案：這首詩原是三章，只取得前兩章。

選年詩新

五

遊京都圓山公園

（覺悟第一期）

滿園櫻花燦爛；
燈光四照；
人聲嘈雜。
小池邊楊柳依依，
孤單單的站着一個女子。
櫻花楊柳，那個可愛？

冷清清的不言不語，
可沒有人來問他。

（四月五日）

粟如許：作者似乎是個女詩人。冰心女士的小說，句句有個我在。這首詩裏深涵着自然幽雅的女性美。即使作者是個男子，也無愧乎詩人的本色。詩世界的司命本是女神啊。

五〇

一個可憐的朋友（覺悟第一期）

朦朧的月照着；
幾棵枯樹伴着；
冷颼颼的北風，呼呼的吹着；
可憐的朋友街頭站着。

他，大氅披着，

兩手袖着，
　衞生棍兒挾着；
朦朦的月光將他黑胖的臉兒映着。
呀！你冷了麼？
　你凍了邪？
你靜靜的站在冷淸淸的夜裏爲什麼事呢？
勤苦的國民！
可憐的朋友！
去罷！家去罷！
看！我去了！

朦朦的月照着；
幾棵枯樹伴着；
冷颼颼的北風呼呼的吹着；
可憐的朋友街頭站着。

（十二月八日）

新詩年選

大白

應酬（星期評論第七號）

下面的話，是在澡堂子裏，聽見兩位口操北音的弟兄們講的；我聽了，覺得有一種說不出的感想，就略略整理了一下子，寫了出來。

（一）

你要是不來，怎麼對得起朋友？

你要是來了，我得給你花錢打酒。

什麼講究？
這是咱們的應酬！

（二）

你來了！
你喝醉了！
你又發你的酒風了！
我們的腰包可空了！

（三）

我說，「我上你的當！」
你也說，「我上你的當！」
到底是誰給誰的當上？

溟冷評：費力往往不討好。這首詩的好處端在不着力。不着力或者倒是眞着力。

選年詩新

14

今是

月夜（星期日第廿二號）

舉首前望，
山遙路遠。
就在這裏看，
又在這裏想。
我望得見明月啊，
明月看得見我麼？

你是明月嗎？
是他啊！
他怎麼不見啊？
莫是愁雲把他遮了？
看啊！看啊！他來了！他見着我了！
來了！來了！他不是在那裏笑嗎？

你爲什麼笑啊？
是痛苦嗎是快樂？
是奮鬥嗎是犧牲？
是博愛嗎是自由？
到底是什麼？

望你告訴我！

可愛的月啊！你如何這般的光亮！
我願你的精神啊，指示我前行的方向！
我不管他是黑暗嗎是光明，
我只依着你的精神啊，前行。
前行，前行，
不知道山遙路遠，
山遙路遠，
終久會見着了你！

（十二月十七日）

溟泠評：「……明月皎皎兮照空房。晝日苦短兮夜未央。有美一人兮天一方，欲往從之兮路渺茫；登山無車兮涉水無航，願言思子兮使我心傷！」不是秋風三疊的第一疊麼？要有二十世紀的輪船火車，而居實也不會短命死了。質諸作者以爲然否？可見二十世紀的詩人不可不做二十世紀的新詩。

予同

破壞天然的人（工學月刊第一卷第二號）

綠英英的細草，
繞着碧盈盈的池塘；
一陣陣的蛙鼓，
鬥起了幽咽咽的蚓簫。
為甚麼山明水秀之鄉，
卻站着雄糾糾的兵士，

吹着滴滴打打的軍樂？

（十二月二十日）

粟如評：能令讀者悠然神往的，勿論怎麼樣總是好詩。　這首詩的藝術更在長言，令人聯想到李清照的『尋尋覓覓，冷冷清清，凄凄慘慘戚戚』。（案，長言譯作 repetition ，有疊字疊句疊段疊章，詩經裏用得最多。詩序說，「言之不足，故長言之」，就指這個。）

王志瑞

旁的怎麼樣？（九月六日時事新報）

（一）

亂蓬蓬的青草裏，
開了幾朵鮮花；
紅的，白的，黃的，和紫的，
總是幾朵美麗的花，——總是幾朵野草裏的花。

驀地裏來了個頑童，
把那邊的一朵折下了。
我着實替旁的花着急。
我看他們也像有些着急，方纔的笑顏都似乎
變了。
但我不知道他們究竟怎麼樣？

（二）

傍晚時刮了一陣暴風，那邊一雙渡船打翻了
。
渡船上載着幾位美麗的神，如今都一齊遭刧
了！
我看，

旁的渡船的水手都呆呆的看着，——一方又
緊緊的把着舵。
我着實替他們着急！
但我不知道他們究竟怎麼樣？

（三）

我站在黑暗裏，——幾乎一步也不能走，
遠遠地忽然有幾點燈光照着我，
我便向那光明的所在走去。
那知道一盞燈熄了，
我很覺得着急！
覺得前面的光明未免減色了！
又恐怕前面的光明，可不要一齊都熄了？

但我不知道他們究竟怎麼樣？

溟泠評：記得這首詩發表的時候，正當天津學生聯合會大受暴力摧殘，不知道是不是他的背景？

偏是

（九月二十六日時事新報）

我原不想見他，
偏是夢裏見着！
既然夢裏見着，
偏是夜烏叫着！
夜烏干我甚事，

偏是鬧得我睡不着！
睡不着也罷了，
偏是那月亮兒又淡淡的照着！

選年詩新

26

玄廬

入獄（星期評論第八號）

怎麼樣是不自由？　入監獄。
因爲自由入監獄。
這樣一位先生，入監獄。
豈但是先生入監獄？
先生不入獄，誰入獄？
先生旣入獄，誰也入獄！

編者案：這首詩原來頗長，只取得前半截。大概是為陳獨秀入獄作的。

想（星期評論第十二號）

平時我想你，
七日一來復。
昨日我想你，
一日一來復。
今朝我想你，
一時一來復。
今宵我想你，

一刻一來復。

編者案：這首詩原是兩章，只取得第一章。

恐菴評：讀明白周南的芣苢，就認得這首詩的好處了。

忙煞！苦煞！快活煞！（星期評論紀念號）

（一）

無望！無望！今年收成荒！我只吃糠，他們米滿倉。

（二）

去年如何？　年成大熟。　租米完過，只夠吃粥。

（三）

採桑養蠶，忍餓耐寒。　紡紗織布，一條簕袴。

（四）

千頭萬緒，一手整理。　翻新花樣，他人身上衣。

（五）

千門萬戶，一手造成。　造成之後，不許我進門。

（六）

饑不如寒；寒不如饑。 你埋怨我；我埋怨你。

（七）

勞苦，勞苦！ 忙煞，急煞！ 苦的苦煞！
快活的快活煞！

愚菴評：玄廬大白的詩，都帶樂府調子。

左舜生

講我們國家的近代史（八月二十五日時事新報）

我一面講，
他們一面氣；
我這高抗的音調，
不覺也變了凄切。
國家主義啊！
你是什麼？

到了今天，誰高興來鼓吹你？
唉！到底是人類的一個弱點，
也是我們三十年來的史實：
四日的慘屠，
那亞美利加的人，早有些不平的顏色；
『船沉人盡！』
畢竟也不失男兒的本色。
世界啊！
我們不希望你『改造』，
這些事本用不着我重說。

按三十年來的史實，指中日戰爭；四日的慘屠，指日軍破旅順時事；「船沉人盡」，是丁汝昌致李鴻章電中語。

仲密

背槍的人（每週評論第十三號）

早起出門，走過西珠市。
行人稀少，店鋪多還關閉，
只有一個背槍的人，
站在大馬路裏。
我本願人『賣劍買牛，賣刀買犢，』
怕見惡很很的兵器。

但他長站在守望面前，
指點道路，維持秩序，
只做大家公共的事，——
那背槍的人，
也是我們的朋友，我們的兄弟。

（一九一九年三月七日）

偶成

（每週評論第二十五號）

北河沿的西邊，
立着一所灰色的大屋。
每天晌的鐘聲，
現在忽然沒有了，

門外也沒有人的行跡。
只見十幾個黃布帳，
散在沿河的綠楊樹下。

許多老老小小的人，——
有的蹲着，有的站着，——
都在隔河默望着。
老先生，可憐你們在清朝過了大半生，
還沒有見過這樣有趣的玩意兒。
我告訴你，踏了冰踹了雪，一直往西北，
在那里的舊賬簿上，
卻可看到許多這樣的事，——

用通紅的，火一般的橫行字，
都在那舊賬簿的末葉上記着。

他們，『看呵，捉了犯人來了！』
但我却不見有什麽，
只有一位穿黃衣服的朋友，
帶了他的姪兒——或是兄弟？——
在斷絕交通的路上走來。
那弱小的少年——年紀不過十二三，
一身灰色布的制服，袖子上一條紅線，
頭上却沒有帽子。
到了門口，一眨眼間，他忽然不見了，——

只有那黃衣的朋友還在門外站着，
許多老老小小的人隔了河望着。

不相識的小兄弟，
請你受我的敬意。
我願你出了這門時，
不再受這樣的待遇！
我不忍再見你那勇敢悲哀的樣子，
但我終不能忘記。
我只願你立志反對軍國主義，
將來自有光明，
與我們同做平和的人民，

過自由的日子。

（一九一九年六月三日）

編者案：這當是『五四運動』裏『六三運動』的一段寫實。當日北京大學法科做了臨時監獄，被拘的學生八百多人。後來文科也拘了二百多人。這是法科門外的樣子。

余捷

羊羣（十二月十八日時事新報）

如銀的月光裏，
一張碧油油的氈上，
羊羣靜靜的睡了。
他們雪也似的毛和月掩映着，
啊！美麗和聰明！

狼們悄悄從山上下來。
羊兒睡中驚醒：
瑟瑟的渾身亂顫，
腿軟了不能立起，
跪着，
眼裏都含着滿眶亮晶晶的淚；
口中不住的哶哶哀鳴。
如死的沈寂給叫破了……
月也暗淡，
像是被哶哶聲嚇着似的！
狼們張開血盆般的口，

露列着巉巉的牙齒，
像多少把鋼刀。
不幸的羊兒宛轉鋼刀下！
羊兒宛轉，
狼們享樂；
他們喉嚨裏時時透出
可怕的勝利的笑聲！
他們呼嘯着去了。
碧油油的氈上，
新添了斑斑的鮮紅血跡。
羊兒破碎皮膚的擺着；

有幾個沒有死的，也痙攣得不能動彈了。
他們如雪的毛上，
都塗滿了泥和血，
啊！怎樣的可怕！

這時月又羞又怒又怯，
掩着面躲入一片黑雲裏去了！

（十二月十三日）

愚菴評：據作者的原序，是為安武軍侵犯安慶蠶桑女學校而作的。這是首難得的史詩。當時批評這件事的，多歸咎於倪嗣冲治兵不嚴或痛恨那些當事的兵。殊不知這還在其次。若從社會病理上探求，便見得只由於社會制度凋敝，當事的不能全負其責。第一，當事的兵有强暴罪而沒有殺人罪；殺人的實在是禮教，是名節。第二，禮教不能範圍那些當事的兵，名節也沒有殺盡那些當事的女子，足見禮教名節的勢力也式微到極點了。第三，傳統思想太摧殘物質的美，為尋常人所不堪，自然流于極端的反動。第四，讀雉朝飛操，誰也覺得沒有家室的苦況；當事的兵雖可恨，着實也太可憐了。不知讀者以爲何如？

沈乃人

燈塔（十一月一日民國報，覺悟）

大雷雨的天氣，
海面上黑漆漆地，
從燈塔裏閃出光線，
告訴危險。

風打，

雨淋，
淋的！打的！
他還是矗然獨立。

忽然轟的一聲，驚天動地。
睜眼看時，不見光在那裏。
可憐的燈，
他做了抵抗強權的犧牲。

（十月二十九日）

溟冷評：這首詩必有所指。雖所指不定，而使二三十年後讀之，正足驗『五

四運動以後所謂新文化運動的時代精神

沈尹默

月夜（新青年第四卷第一號）

霜風呼呼的吹着，
月光明明的照着。
我和一株頂高的樹並排立着，
却沒有靠着。

愚菴評：這首詩大約作於一九一七年

的多天，在中國新詩史上，算是第一首散文詩。其妙處可以意會而不可以言傳。

月（新青年第五卷第一號）

明白乾淨的月光，我不曾招呼他，他却有時來照着我；我不曾拒絕他，他却慢慢的離開了我。

我和他有什麽情分？

公園裏的二月藍（新青年第五卷第一號）

牡丹過了，接着又開了幾欄紅芍藥。

路旁邊的二月藍，仍舊滿地的開着；開了滿地，沒甚稀奇，大家都說這是鄉下人看的。

我來看芍藥，也看二月藍；在社稷壇裏幾百年老松柏的面前，露出了鄉下人的破綻。

三絃（新青年第五卷第二號）

中午時候，火一樣的太陽，沒法去遮闌，讓他直曬着長街上。靜悄悄少人行路；祇有悠悠風來，吹動路旁楊樹。

誰家破大門裏，半院子綠茸茸的細草，都浮着閃閃的金光。旁邊有一段低低的土牆，擋住了個彈三絃的人，卻不能隔斷那三絃鼓盪的聲浪。

門外坐着一個穿破衣裳的老年人，雙手抱着頭，他不聲不響。

愚菴評：這首詩最藝術的地方，在「旁邊有一段低低的土牆，擋住了個彈三絃的人，却不能隔斷那三絃鼓盪的聲浪」一句裏的音節。三十二個字裏有兩個重唇音的雙聲，十一個舌頭音的雙聲，八個元韻的疊韻，五個陽韻的疊韻，錯綜成文，讀來直像三絃鼓盪的一樣。據說「低低的」三個字是有意用的。

赤裸裸（新青年第六卷第四號）

人到世間來，本來是赤裸裸，
本來沒有汚濁，却被衣服重重的裹着，這是
爲甚麽？難道淸白的身，不好見人嗎？
那汚濁的，裹着衣服，就算免了恥辱嗎？

愚菴評：沈尹默的詩形式質樸而別饒風趣，大有和歌風，在中國似得力於唐人絕句。

新詩年選

56

沈兼士

寄生蟲（新青年第六卷第六號）

Distoma！你寄生我肚裏，十多年了。
我精神強的時候，你就弱些。
你精神強的時候，我就弱些。
弱之又弱，萬一至於死，不知道你那時候還
能夠獨活嗎？

新詩年選

汪敬熙

一方入水的船（新潮第二卷第二號）

船！你入了水了！
我做幾句詩來祝你：——
我不願，
你在無邊的海裏平平安安的走！
越平安，越無生趣。
我願，

你永遠在風浪裏衝着往前走！
衝破了浪，便往前進；
衝不破，便沉在海底，
卻也可鼓舞後來的船的勇氣
卻也可使後來的船知道，
應找別的道兒走。
走！走！
永遠在危險困苦裏向前走！

飛鴻評：此詩悲壯極了。讀者試看他『我不願你……』及『我願你……』諸句，何其沈痛啊！他說，『越平安越無生趣』，又說『衝破了浪便往前進，衝不破便沈在海底』云云，這種勇氣，眞令人興奮。

新詩年選

李大釗

山中落雨

（少年中國第一卷第三期）

忽然來了一陣烟雨
把四山團團圍住。
只聽着樹裏的風聲雨聲，
卻看不清雲裏是山是樹？
水從山上往下飛流，
頓成了瀑布。

這時候前山後山，
不知有多少樵夫迷了歸路？

飛鴻評：此詩音節意境，融成一片，讀者可於言外得其佳處。

周無

去年八月十五（少年中國第一卷第六期）

園子裏的人漸漸的少起來了。
滿河的白霧和灰白色的月光溟濛糢糊的混合起來。
眼前的東西都漫漫的改變起來。
聲音也寂靜起來。
但是你和我還是在河邊上立着。

白霧散開，現出了一個又圓滿又瑩澈的月亮。

他只在那波浪中，忽長忽扁的盪來漾去，一聲兒也不作響。

一隻小船搖擺着過去。

船篷和搖船的人都淡淡的蒙着一層綠霜似的月色。

河上的船，一一放出燈光，總明明暗暗的閃爍，

顯出他們還在水裏搖着。

搖船的小姑娘把着槳，弄着暗漲的潮水，望

着月隱隱的唱。

但是你和我還是在河邊上立着。

園子裏的燈全明了。

你頭上的那一個，照着我們的影子，很長的上了草地。

路上的黃葉漫漫走動，

都到了你的脚邊商量着聚在一處，——不動。

我想我應該說甚麼給你？說甚麼給你？

你說的那些，我應該怎樣答你？

忽來一陣風，吹了你些髮到臉上；我想替你

掠到鬢上。……

去年前年又前年的今天，都渺渺茫茫的記不大起。

明年後年以至年年的今天，我卻永久也不會忘記。

記得甚麼？

園子麼？　月亮麼？　搖船的小姑娘麼？

愚菴評：這首詩描寫細膩，頗有太戈兒風。

周之幹

雪（新生活第二十期）

（一）

清早晨一覺睡醒，掀開帳子，祇見窗子上十分明亮。
更瞄瞄太陽影兒到了那裏；
却一點兒也看不見。
奇怪奇怪；

難道是天陰麼，
那為何窗子上這麼光亮；
就是天晴吧，
那太陽影子何以又看不見。
『叮噹』，『叮噹』，『叮噹』，忽聽得南
門基督教堂的鐘聲響。
不早了；八點多鐘了；要到學堂裏去了；便
一個咕嚕滾下牀檐急忙的打開窗子一看，那曉
得這一夜兒被那雪珠兒偷偷瞞瞞的落滿了一屋
脊梁了。
哦！我說是怎麼這大光亮。

（二）

穿好了衣，洗過了臉，吃了早飯，夾上書包，去上學堂。
一路的地上，都是蓋着一片的雪。
我便用我脚上的釘鞋，任意的在雪地上亂踏，直覺心裏頭誰亦沒有比他舒暢。
走一步踏一步，一直踏到葦杭橋邊，抬頭一看；只見那山尖上，樹枝上，城頭上，更夾着國光樓，夫子廟，我們學堂，和人家的屋上，都是一片白亮亮。
哎：雪呵：你是多大的功德修出這一身的光亮，讓我去到學堂，
好好地替你做寫一首歌唱。

這首詩是安徽全椒縣高等小學校第三年級一個小學生做的，題目是國文教員周介藩君出的。周君將許多的文中挑出這一篇寄給新青年雜誌社，因爲現在離新青年出版期還遠，所以送到新生活週報上登出。在黑暗的安徽教育界中，居然也有這樣好的教員這樣好的學生，眞是一件出人意表的事。陳獨秀附記

編者案：這首詩並不算絕頂好詩，不過出於個小學生的手裏卻是難得。從『叮噹，叮噹』，到『那曉得這一夜兒被那雪珠兒偷偷瞞瞞的落滿了一屋脊樑了』的一段，是這首詩裏的警句。

周作人

小河（新青年第六卷第二號）

有人問我這詩是什麼體，連自己也回答不出。法國波特來爾（Baudelaire）提倡起來的散文詩，略略相像，不過他是用散文格式，現在卻一行一行的分寫了。內容大致仿歐州的俗歌；俗歌本來最要叶韻，現在卻無韻。或者算不得詩，也未可知；但這是沒有什麼關係。

一條小河，穩穩的向前流動。
經過的地方，兩面全是烏黑的土，
生滿了紅的花，碧綠的葉，黃的實。

一個農夫背了鋤來，在小河中間築起一道堰，
下流乾了；上流的水，被堰攔着，下來不得：
不得前進，又不得退回，水只在堰前亂轉。
水要保他的生命，總須流動，便只在堰前亂轉。
堰下的土，逐漸淘去，成了深潭。

水也不怨這堰——便只是想流動。

一日農夫又來，土堰外築起一道石堰。

土堰坍了；水衝着堅固的石堰，還只是亂轉

堰外田裏的稻，聽着水聲，皺眉說道，——

「我是一株稻，是一株可憐的小草，

我喜歡水來潤澤我，

却怕他在我身上流過。

小河的水是我的好朋友，

他曾經穩穩的流過我面前，

我對他點頭，他向我微笑，
我願他能夠放出了石堰，
仍然穩穩的流着，
向我們微笑；
曲曲折折的儘量向前流着，
經過的兩面地方，都變成一片錦繡。
他本是我的好朋友，——
只怕他如今不認識我了；
他在地底裏呻吟，
聽去雖然微細，卻又如何可怕！
這不像我朋友平日的聲音，
——被輕風挽着上沙灘來時，

快活的聲音。
我只怕他這回出來的時候，
不認識從前的朋友了，
便在我身上大踏步過去；
我所以正在這裏憂慮。」

田邊的桑樹，也搖頭說，——
「我生的高，能望見那小河，——
他是我的好朋友，
他送清水給我喝，
使我能生肥綠的葉，紫紅的桑葚。
他從前清澈的顏色，

現在變了青黑；
又是終年掙扎，臉上添出許多痙攣的皺紋。
他只向下鑽，早沒工夫對了我的點頭微笑，
堰下的潭，深過了我的根了。
我生在小河旁邊，
夏天曬不枯我的枝條，
冬天凍不壞我的根，
如今只怕我的好朋友，
將我帶倒在沙灘上，
拌着他捲來的水草。

我可憐我的好朋友，
但實在也為我自己着急。」

田裏的草和蝦蟆，聽了兩個的話，
也都歎氣，各有他們自己的心事。

水只在堰前亂轉；
堅固的石堰，還是一毫不搖動。
築堰的人，不知到那裏去了？

（一九一九年一月　四日）

愚菴評：兩年來的新詩，如胡適傅斯

年康白情他們的東西，翻過日本去的頗不少。這首詩也給翻成日本文，登在新村上，頗受鑑賞家的稱道。他的詩意，是非傳統的；而其筆墨的謹嚴，卻正不亞於杜甫韓愈。不是說外國人看做好的就是好的，正說他在中國詩裏也該是傑作呵。

兩個掃雪的人（新青年第六卷第三號）

陰沉沉的天氣，
香粉一般白雪，下的漫天遍地。
天安門外白茫茫的馬路上，全沒有車馬蹤跡

，只有兩個人在那裏掃雪。
一面儘掃，一面儘下：
掃淨了東邊，又下滿了西邊；
掃開了高地，又填平了窪地。
粗麻布的外套上，已經積了一層雪，
他們兩人還只是掃個不歇。
雪愈下愈大了；
上下左右，都是滾滾的香粉一般白雪。
在這中間，彷彿白浪中浮着兩個螞蟻，
他們兩人還只是掃個不歇。
祝福你掃雪的人！

我從清早起，在雪地裏行走，不得不謝謝
你。

（[illegible]年一月十三日）

北風

（新青年第六卷第三號）

好大的北風，
便在去年大寒時候，
也不會有這麼大的風。
我向北走，只見滿路灰塵，
隱約有幾個人影；
但覺這風沙也頗可賞玩，
也是四時裏一種風景。

北風在空中嗚嗚的叫，
馬路旁發芽的楊柳，
當着風不住的動搖，
這猛烈北風，
也正是將來的春天的先兆。

（一九一九年二月十八日）

畫家

（新青年第六卷第六號）

可惜我並非畫家，
不能將一枝毛筆，
寫出許多情景。——

兩個赤脚的小兒，
立在溪邊灘上，
打架完了，
還同築爛泥的小堰。

車外整天的秋雨，
靠窗望見許多圓笠，——
男的女的都在水田裏，
趕忙着分種碧綠的稻秧。

小胡同口，
放著一副菜担，——

菜担是青的紅的蘿蔔，
白的菜，紫的茄子；
賣菜的人立著慢慢的叫賣。

初寒的早晨，
馬路旁邊，靠著溝口，
一個黃衣服蓬頭的人，
坐著睡覺，——
屈了身子，幾乎疊作兩折。
看他背後的曲線，
歷歷的顯出生活的困倦。

這種種平凡的眞實的印象，
永久鮮明的留在心上；
可惜我並非畫家，
不能用這枝毛筆，
將他明白寫出。

愚菴評：這首詩可算首標準的好詩，其藝術在具體的描寫。勿論唐人的好詩，宋人的好詞，元人的好曲，日本人的好和歌俳句，西洋人的好自由行子，都倘這種具體的描寫。不過這種質樸的體裁，又是非傳統的罷了。這首詩給新詩壇的影響很大。但襲其皮毛而忽其靈魂，失敗的似乎頗多。

東京砲兵工廠同盟罷工（新青年第六卷第六號）

一九一九年八月至九月，

（一）

他們替他造槍，
他給他們喫飯。
槍也造得夠了，
米也貴得多了：
『請多給我們幾文罷！』
『………』

（二）

『請多給我們幾文罷！
米也貴得多了。
我們飯都不夠喫了，
也不能替你造槍了。』

（三）

槍也造得夠了。
工廠的鍋爐熄了火了，
工人的竈也斷了烟了。
拏槍的人出來了，
造槍的人收了監了。

（一九一一年九月二十一日）

愛與憎

（新青年第七卷第二號）

師只教我愛，不教我憎；
但我雖然不憎，也不能盡愛。
愛了可憎的，豈不薄待了可愛的？

農夫田裏的害蟲，應當怎麼處？
薔薇上的青蟲，看了很可憎；
但他換上美麗的衣服，翩翩的飛去。
稻苗上的飛蝗，被著可愛的綠衣，
他卻只喫稻苗的新葉。
我們愛薔薇，也能愛蝴蝶。

爲了稻苗，我們卻將怎麼處？

愚菴評：周作人的詩極有過人之處，只怕曲高和寡罷。大抵傳統的東西比非傳統的容易成風氣，也固其然。但我只願他們各發展其特性，無取趨時。從來李杜並稱，而李白早在杜甫之上。直到元稹繼起，江西派成立，杜甫才獨受尊崇。或者若干年後，非傳統的東西得勝也未可知。

孟壽椿

獄中雜詩（少年中國第一卷第三期）

（一）

夜半醒來，兀自失笑；
一排排的人躺着，
好像『猪兒覺』。
這是個甚麼地方？
是誰關我在這裏？

有誰知道？
無人答應我；
只聽着，床上同伴的鼾聲，——
承塵上鼠子亂跑，——
更有那屋角上的貓頭鷹嘶聲怪號。

（二）

一會兒，天明了；
那鮮紅可愛的太陽光，透過鐵窗，照上囚床，
把一間黑矓矓的獄室，弄得個通明透亮。
這時候，同伴醒了！
老鼠藏起來了！

貓頭鷹也不號了！

（三）

西直門外，萬牲園裏，
虎圈內關着一隻老虎；
對面就關着一隻豹子；
那老虎不動聲色，
只懶懶懶的睡起。
回頭看豹子，
披一件黃質黑章的花皮，倒也美麗，
看見了人，立刻竪起兩個耳朵，現牙露齒，——
顯出他很威武的樣子。

其實論他的本領，
那裏趕得上那個『睡起』。

（四）

進步！進步！
一步警察廳，
二步司法署，
三步是模範監獄，
四步便是斷頭處。
進步！進步！
努力進步！

編者按：這是五四運動裏羣衆呼聲的一種。

俞平伯

冬夜之公園（新潮第一卷第二號）

『啞！啞！啞！』
隊隊的歸鴉，相和相答。
淡茫茫的冷月，
襯着那翠疊疊的濃林。
越顯得枝柯老態如畫。

兩行柏樹，夾着蜿蜒石路，
竟不見半個人影。
抬頭看月色，
似烟似霧朦朧的罩着。
遠近幾星燈火，
忽黃忽白不定的閃鑠，——
格外覺得清冷。

鵲都睡了，滿園悄悄無聲。
惟有一個，突地裏驚醒，
這枝飛到那枝，
不知為甚的叫、得這般淒緊！

聽他彷彿說道，
『歸呀！歸呀！』

溟泠評：『曲終人不見，江上數峯青』。

『他們又來了』（新潮第二卷第一號）

『來！來！
媽看，快看！』
路邊一個五六歲的窮孩子，
小臉胖胖的，小手黑黑的，
跟着個中年的女人。

的棗！的棗！

兩個灰色衣的人，挾個少年，

路那頭走來；

鎗上閃着刺刀的光。

「怪可怕的，

孩子！我們回去罷！」

「媽！你怕！　怕什麼？

你看我！」

孩子握拳頭，挺起胸，鼓起嘴，

一步——兩步——學他們走道。
遠了——遠了，
一陣陣皮鞋的聲音；
街上湊熱鬧的人，
瞅着他都笑了。
大家忘了剛才的事。

白淡淡的太陽，
斜晒在石骨嶙峋的長街上，
三三四四的人影兒，參差動盪。
母子倆拉着手走，也慢慢的家去。

灰色衣的人幹嗎來的，
小心裏老不明白。
他想知道，
誰都想知道，
但是，——誰知道呢！

走不上十家門面，
大家回頭。
孩子的聲音，
『他們又來了！』

菊（新潮第二卷第二號）

前人做菊花詩的很多，題目差不多是用舊了。我做這首詩算是「舊戲新排」。但被那些遺老遺少看見，必定摸摸鬍子——但遺少沒有——歎口氣道，「風雅掃地了。」

軟洋洋的葉，托着疏刺刺的花，對着呆鈍鈍的人。

昂着頭她笑我；低着額她怕我；

歪着腰她躲我；扭着身她厭我；閉着眼睛她不願見我。

瞧她不倸我，問她不答我。

燈光明明的照着我和她。

誰不說咱倆是朋友呢！

「不是」，我不願說。
「是呀」，我又不敢說。
況她沒有說甚麼，我還說些甚麼呢？
只厮守着清清冷冷悄悄綿綿的秋夜，
的搭的搭一秒兩秒的過去。

說近——何嘗不是眼前；
遠——天邊。
我——她，好比隔條河，沒有橋兒跨，船兒
划。

金的黃，玉的白，深紅淺紅，我眼裏感她。

花冠，葉綠，雌雄蕊兒，我心裏識她，
但她的天眞，偏被濃脂淡粉層層疊疊遮遮掩
掩。
她是怎樣？究竟怎樣？我不知道。
她怎不恨我，厭我，遠我！

誰是蠢人？她嗎？我呢？
她爲她生，沒有爲我；
無我可有她，有她也不關我。
栽在盆中，插在瓶中；
我歡欣，她悲痛。
這算甚麼？成個甚麼！

唉！以前的，以前的幻夢都該拋棄，該都拋棄。
那有河流？誰要橋兒！誰要船兒！
『山頭，田畔，河邊，你老家！
去呀！去！我送！』

（一九一九年十一月五日晚作）

風的話（新潮第二卷第三號）

白雲粘在天上，
一片一團的嵌着堆着。
小河對他，也板起灰色臉皮不聲不響。

枝兒枯了，葉兒黃了；
但他倆忘不了一年來的情意，
願廝守老醜的光陰，安安穩穩的挨在一起。

白漫漫雲飛了；
皺疊疊波起了；
花喇喇枝兒擺，葉兒掉了。
聽呀！ 那邊！
呼呼，呼呼，
不做美的！……不做美的！……
葉兒花花的風前亂轉，
還想有幾秒鐘的留戀；

只是灰沙捲他，車輪碾他，馬蹄兒踹他，
沒有法兒懶洋洋的跟着走，
推推擠擠住住行行的越去越遠。

幾枝瘦骨光光的枝兒，留在風中搖動。
他心裏直想：
『好時光遠了，披風拂水的姿容久已消散了，
就是幾瓣黃葉兒也分手別離了。
風啊！無情的你！
我要問你，『爲什麼？』
『好朋友！我是永遠如此的；

沒有恨着誰，沒有愛着誰，
只一息不息的終年流轉。
向前！向前！
我的事！
我和你——他們大家的事！

『河岸頭幾尺高的枝杈我天天見你，
現在成了似繖般的大樹；
不該謝我嗎？
我曾經催你發新，助你長成，
才有今天的你；
忘了我嗎？

我本無心，也不為你，
你莫謝我，莫怨我。
只那無窮極的自然，運轉周流的造化，
高高籠罩着我和你。
你謝——謝他！
怨——怨他！

“痴人！想守着你的朋友，
終老在枯槁的生涯。
眞能夠？眞願意？
前邊——擺列着無盡的春夏，無盡的秋冬。
努力去呀！莫悞了自己的生長！

我走我的路；你，你的。
朋友！再見呵！』

風兒呼呼的，
枝兒索索的。

愚菴評：俞平伯的詩旖旋纒綿，大概得力於詞。天生就他的詩人性，隨時從句子裏浸出來。做詩最怕做不出詩味。所謂『就是那土和泥，也有些土氣息，泥滋味』，深可發明。所以古人說，『不是詩人莫做詩』。若平伯呢，」只怕雖欲不做詩而不可得了。

假工

湖南的路上（平民教育第二號）

（一）

路邊的房子，燒的燒，倒了的倒了；

房子裏頭的人，不知道那裏去了；

有許多的田沒有耕，有許多的園沒有種；

唉！可惜荒廢了。

（二）

『噯喲！……老總，你老人家不要動手了，
還在你要挑到那裏，我總依從你。』
一挑很重的擔子，放在大路邊；
兩個穿灰衣的，扭住一個小百姓在那裏打。

溟泠評：詩必兼顧內容形式。若完全不顧藝術，還有甚麼詩可作呢？近年寫兵禍的詩很多，只有這首和胡適之的你莫忘記給我的印象最深。不是藝術的作用麼？

胡適

江上（嘗試集）

十一月一日大霧　追思夏間一景，因成此詩。

雨脚渡江來，
山頭衝霧出。
雨過霧亦收，
江樓看落日。

老鴉（嘗試集）

（一）

我大清早起，
站在人家屋角上啞啞的啼。
人家討嫌我，說我不吉利：——
我不能呢呢喃喃討人家的歡喜！

（二）

天寒風緊，無枝可棲。
我整日裏飛去飛回，整日裏又寒又飢。——
我不能帶着鞘兒，翁翁央央的替人家飛；
也不能叫人家繫在竹竿頭，賺一把黃小米！

看花（嘗試集）

院子裏開着兩朵玉蘭花，三朵月季花；
紅的花，紫的花，襯着綠葉，映着日光，怪
可愛的。
沒人看花，花還是可愛；但有我看花，花也
好像更高興了。
我不看花，也不怎麼；但我看花時，我也更
高興了。

（七年五月）

編者案：這首詩只取得前大半截。

你莫忘記

（新青年第五卷第三號）

此稿作於六月二十日。當時覺得這詩不值得存稿，所以沒有修改他。前天讀太平洋中劫餘生的通信，竟與此稿如出一口。故又把已丟了的修改一遍，送給尹默獨秀玄同半農諸位，請你們指正指正。適。

我的兒，我二十年教你愛國，——
這國爲何愛得！……
你莫忘記這是我們國家的大兵，
強姦了三姨，逼死了阿馨，
逼死了你妻子，鎗斃了高陞！……
你莫忘記：是誰砍掉你的手指，

是誰把你老子打成這個樣子！

是誰燒了這一村，……

嗳喲！……

火就要燒到這裏，——

你跑罷！ 莫要同我們一齊死！

回來！……

你莫忘記：

你老子臨死時，只指望快快亡國；

亡給哥薩克，亡給普魯士，——

都可以，——

總該不至——如此！……

應該（新青年第六卷第四號）

我的朋友程樂亭胡適坡死後，我都爲他們作傳，祇有鄭仲誠倪曼陀死了六年，我想替他們做的傳還沒有做成，至今記在心裏。今年曼陀的家人把他做的詩文寄來，要我替他編訂。他的詩裏有奈何歌二十首，情節很淒慘，都是情詩。內中有幾首我最愛讀。昨夜重讀一遍，覺得曼陀眞情有時被他詞藻遮住了，故我把這裏面的第十五十六兩首的意思合起來做成一首白話詩。曼陀少年早死，他的朋友都痛惜他。我初聽說他是吐血死的，現在讀他的詩，纔知道他是爲了一種很爲難的愛情境地死的。我這首詩也可以算是表章哀情的微意了。八年三月二十日。

他也許愛我，——也許還愛我，——

但他總勸我莫再愛他。

他常常怪我；

這一天，他眼淚汪汪的望着我，

說道：「你如何還想着我？

你想着我又如何對他？

你要是當眞愛我，

你應該把愛我的心愛他，

你應該把待我的情待他。」

他的話句句都不錯：——

上帝幫我！
我『應該』這樣做！

溟泠評：這首詩委曲周至的情節，格詩已難表出，律詩更不可能。新詩所以傲律格者，正在這裏。奈何歌二十首，又說以詞藻勝，當是晚唐無題之流，那能夢見這種好詩。原序說從奈何歌兩首裏譯出，其勝于原著無疑。

威權（嘗試集）

威權坐在山頂上，

指揮一班鐵索鎖着的奴隸替他開鑛。
他說：『你們誰敢倔强？
我要把你們怎麼樣就怎麼樣！』

奴隸們做了一萬年的工，
頭頸上的鐵索漸漸的磨斷了。
他們說：『等到鐵索斷時，
我們要造反了！』

奴隸們同心合力，
一鋤一鋤的掘到山脚底。
山脚底挖空了，

威權倒撞下來，活活的跌死！

（八年六月十一夜）

小詩

（嘗試集）

也想不相思，

可免相思苦。

幾次細思量，

情願相思苦！

有一天我在張慰慈的扇子上，寫了兩句話：「愛情的代價是痛苦，愛情的方法是要忍得住痛苦」。陳獨秀引我這兩句話，做了一條隨感錄，（每週評論二十九號，）加上一句按語道：「我看不但愛情如此，愛國愛公理也都如此。」這條隨感錄出版後三日，獨秀就被軍警捉去了，至今還不曾出來。我又引他的話，做了一條隨感錄，（每週評論二十八號。）後來我又想這個意思可以入詩，遂用生查子詞調，做了這首小詩。

（八年六月二十八日）

樂觀（新青年第六卷第六號）

八年　月三十日夜的感想，九月二十八夜補作。

（一）

「這棵大樹很可惡，

他礙着我的路！

來！

快把他斫倒了，
連樹根也掘去！——
哈哈！好了！」

（二）
大樹被斫做柴燒，
樹根不久也爛完了。
斫樹的人很得意，
他覺得很平安了。

（三）
但是那樹還有許多種子，——
狠小的種子，包在有刺的殼裏，——
上面蓋着枯葉，

葉上堆着白雪，
狠小的東西，誰也不注意。

（四）

雪消了，
枯葉被春風吹跑了。
那有刺的殼都裂開了，
每個上面長出兩瓣嫩葉，
笑迷迷的，好像是說：
「我們又來了！」

（五）

過了許多年，
壩上田邊，都是大樹了。

辛苦的工人在樹下乘涼，
聰明的小鳥在樹上歌唱，——
那斫樹的人那裏去了？

上山（嘗試集）

「努力！努力！
努力望上跑！」
我頭也不回，
汗也不揩，
拚命的爬上山去。

「半山了！　努力！
努力望上跑！」

上面已沒有路，
我手攀着石上底青籐，
脚尖抵住巖石縫裏底小樹，
一步一步的爬上山去。

「小心點！　努力！
努力望上跑！」

樹椿扯破了我的衫袖，

荊棘刺傷了我的雙手，
我好容易打開了一條路爬上山去。
「好了！上去就是平路了！
努力！努力望上跑！」
上面果然是平坦的路，
有好看的野花，
有遮陰的老樹。
但是我可倦了，
衣服都被汗濕遍了。

兩條腿都軟了。

我在樹下睡倒，
聞着那撲鼻的草香，
便昏昏沉沉的睡了一覺。

睡醒來時，天已黑了，
路已行不得了，
「努力」的喊聲也滅了。……

猛省！猛省！
我且坐到天明，

明天絕早跑上最高峯，
去看那日出底奇景！

（九月二十八夜）

愚菴評：胡適的詩以說理勝，宜成一派的鼻祖，卻不是詩的本色，因爲詩元是尙情的。但中國詩人能說理的也忒少了。

適之的詩，形式上已自成一格，而意境大帶美國風。美國風是甚麼呢？就是看來毫不用心，而自具一種有以異乎人的美。近代人過于深思，其反動爲不假思索。美國文明自是時代的精神。在去國集和嘗試集第一編裏，如臨江仙，虞美人，生查子等闋，耶蘇誕節歌，久雪後大風寒甚作歌，十二月五夜月等首，美國化的色彩尤爲明白。我們要知道易卜生，蕭伯訥他們的名劇在美國串演，是沒有多少人看的。美國文明是否人性永久的要求，誠爲疑問。但適之首揭文學革命的旗，登高一呼，四方響應，其在中國文學史上的地位是已定的了。

附錄（嘗試集）

耶穌誕節歌

冬青樹上明纖炬，冬青樹下讙兒女，高歌頌神歌且舞。　朝來阿母含笑語：「兒輩馴好神佑汝。　竈前懸襪青絲縷。　竈突神下今夜午，朱衣高冠鬢眉古。　神之來下不可覩，早睡慎毋干神怒。」　明朝襪中實錫妝，有蠟作鼠紙作虎，夜來一一神所予。　明日舉家作大酺，殺雞大於一歲羖。　堆盤肴果難悉數。　食終腹鼓不可俯。　歡樂勿忘神之祜，上帝之子

虞美人（有序）

久雪後大風寒甚作歌

（二年十二月二十六日）

夢中石屋壁欲搖，夢回窗外風怒號，澎湃若擁萬頭濤。

侵晨出門凍欲僵，冰風挾雪捲地狂，齧肌削面不可當。

與風寸步相撐支，呼吸梗絕氣力微，漫漫雪霧行徑迷。

玄冰遮道厚寸許，每處失足傷折股，旋看落帽凌空舞。

落帽狼狽褶猶可。未能捷足何嫌跛。抱頭勿令兩耳墮。

入門得暖寒氣蘇，隔窗看雪如畫圖，背爐安坐還讀書。

明朝日出寒雲開，風雪於我何有哉！ 待看雪盡春歸來！

（三年正月）

臨江仙

隔樹溪聲細碎，迎人鳥唱紛譁。 共穿幽徑趁溪斜。 我和君拾葚，君替我簪花。

更向水濱同坐，驕陽有樹相遮。 語深渾不管昏鴉。 此時君與我，何處更容他？

（四年八月二十四日）

虞美人（有序）

朱經農來書云：「昨得家書，語短而意長：雖有白字，頗極纏綿之致。晨間復得一夢，於枕上成兩詞，錄呈適之，以博一笑。」經農去國纔四五月，其詞已有「傳箋寄語，莫說歸期誤」之句。於此可以窺見家書中之大意也。因作此戲之。

先生幾日魂顛倒，他的書來了！雖然紙短
卻情長，帶上兩三白字又何妨？
可憐一對痴兒女，不慣分離苦；別來還沒幾
多時，早已書來細問幾時歸！

（五年九月十二日）

十二月五夜月

明月照我牀，臥看不肯睡。窗上青藤影，

隨風舞娟媚。
　我愛明月光，更不想什麼。　月可使人愁，
定不能愁我。
　月冷口江靜，心頭百念消。　欲眠君照我，
無夢到明朝。

生查子

　前度月來時，仔細思量過。　今度月重來，
獨自臨江坐。
　風打沒遮樓，月照無眠我。　從來沒見他，
夢也如何做？

（六年三月六日）

景不徙篇

墨經云：「景不徙，說在改爲。」說曰，「景，光至景亡。若在，盡古息。」莊子天下篇云：「飛鳥之影未嘗動也。」此言影已改爲而後影已非前影。前影雖不可見而實未嘗動移也。

飛鳥過江來，投影在江水。鳥逝水長流，
此影何嘗徙？
風過鏡平湖，湖面生輕縐。湖更鏡平時，
畢竟難如舊。
爲他起一念，十年終不改。有召即重來，
若亡而實在。

（六年三月六日）

他 （新青年第六卷第四號）

唐俟

（一）

『知了』不要叫了，
他在房中睡着；
『知了』叫了，刻刻心頭記着。
太陽去了，『知了』住了——還沒有見他，
待打門叫他——鏽鐵鏈子繫着。

（二）

秋風起了，
快吹開那家窗幕。
開了窗幕，會望見他的雙靨。
窗幕開了，——一望全是粉牆，
白吹下許多枯葉。

（三）

大雪下了，掃出路尋他；
這路連到山上，山上都是松柏，
他是花一般，這裏如何住得！
不如回去尋他，——阿！回來還是我家。

愚菴評：唐俟的詩和周作人的一樣深刻。這首詩更覺讀之但覺其美，令人說不出味。

康白情

草兒在前（草兒）

草兒在前，
鞭兒在後。
那喘吁吁的耕牛，
正擔着犂鳶，
眙着白眼，
帶水拖泥，

在那裏『一東二冬』的走着。

『呼——呼……』
『牛哋，你不要歎氣，
快犂快犂，
我把草兒給你。』

『呼——呼……』
『牛哋，快犂快犂。
你還要歎氣，
我把鞭兒抽你。』

牛呵！
人呵！
草兒在前，
鞭兒在後。

（二月一日，北京）

女工之歌

（星期評論第二十號）

我沒穿的，
工資可以買穿。
我沒吃的，
工資可以買飯。
我沒住的，

工資便是房錢。
我再沒氣力，
他們也給我二角一天。
他們惠我惠我！

我有兒女，
他們替我教育。
我有疾病，
他們給我醫藥。
我有家務，
他們只要求我十點鐘的工作。
我有孕娠，

他們白給我幾塊錢讓我休息。
他們惠我惠我！

（八月三日，上海）

暮登泰山西望（少年中國第一卷第五期）

（一）

白日隱約，暮雲把他遮了：
一半給我們看；
一半留着我們想。
日的情麽？
雲的情耶？

誰遮這落日，
莫是崑崙山的雲麼？
破喲！破喲！
莫斯科的曉破了，
莫要遮了我要看的莫斯科喲！

（二）

那不是黃河？
那一條白帶似的不是黃河？
你從崑崙山的溝裏來麼？
崑崙山裏的紅葉，
想已飽帶着一身秋了。

（三）

斑爛的石色，
蓊綠的草色，
和這紅的，黃的，紫的，藍的，白的，鬆鋪
在一地的山花相襯。——人壓在半天裏。
這麼一塊紫細花的破袖！
花草都含愁，
爲着落日，也爲着秋。
我說，『不用愁呵！
天地不老，我們都正在着花呵！』

（九月二十五日）

日觀峯看浴日

（草兒）

東望東海，
鯉魚斑的黑雲裏，
橫着要白不白的青光一帶。
中懸着一顆明珠兒，
憑空盪漾，
曲折橫斜的來往。
這不要是青島麼？
海上的魚麼？
火車上的燈？汽船上的燈？——還是誰放
的玩意兒麼？
升了，升了，
明珠兒也不見了。

山下卻現出了村燈——一點——二點——三點。
夜還只到一半麼？
這分明是冷清清的晨風，
分明是呼呼呼的吹着，
分明是帶來的幾句雞聲，
日怎麼還不浮出來喲！

要白不白的青光成了藕色了。
成了茄色了。
紅了——赤了——臙脂了。
鯉魚斑的黑雲

都染成了一片片的紫金甲了。
星星都不知道那裏去了；
卻展開了大大的一張碧玉。
遠遠的淡淡的幾顆平峯
料必是那海陸的交界。
記得村鐙明處，
倒不是幾點村鐙，是幾條小河的曲處．
淫津津的小河，
隨意坦着的小河，
蜿蜒的白光——紅光
髣髴是剛遇了幾根蝸牛經過。
山呀，石呀，松呀，

只迷迷濛濛的抹着這莽蒼底密處。

哦，——一個峯邊的兩滴流晶，紅得要燃起
來了！

他們都火潰潰的只管洶湧。
他們都髣髴等着甚麼似的只粘着不動。
他們待了一會兒沒有甚麼也就隱過去了。
他們再等也怕不再來了。
哦，來了！
這邊浮起來了！
一線——半邊——大半邊。
一個凸凹不定的赤晶盤兒只在一塊青白青白

的空中亂閃。
四圍髣髴有些甚麼在波動。
扁呀，圓呀，動盪呀，……
總沒有片刻的停住；
總活潑潑的應着一個活潑潑的人生；
總把他那些關不住的奇光
瑣瑣碎碎的散在這些山的，石的，松的上面。

（九月二十六日）

愚菴評：康白情的詩溫柔敦厚，大概得力于詩經。其在藝術上傳統的成分最多，所以最容易成風氣。大概淺淡不及胡適，而深刻不及周作人。（淺淡深刻四個字，都不寓褒貶的意思。）

郭沫若

三個泛神論者（女神）

（一）

我愛我國的莊子，
因爲我愛他的 Pantheism，
因爲我愛他是靠打草鞋吃飯的人。（見列禦寇篇）

（二）

我愛荷蘭的 Spinoza，
因為我愛他的 Pantheism，
因為我愛他是靠磨鏡片吃飯的人。

（三）

我愛印度的 Kabir，
因為我愛他的 Pantheism，
因為我愛他是靠編漁網吃飯的人。

天狗（女神）

（一）

我是一條天狗呀！
我把月來吞了，

我把日來吞了，
我把一切的星球來吞了，
我把全宇宙來吞了。
我便是我了！

（二）

我是月底光，
我是日底光，
我是一切星球底光
我是X光線底光，
我是全宇宙底 Energy 之總量！

（三）

我飛奔，

我狂叫，
我燃燒。
我如烈火一樣地燃燒！
我如大海一樣地狂叫！
我如電氣一樣地飛跑！
我飛跑，
我飛跑，
我飛跑，
我剝我的皮，
我食我的肉，
我嚼我的血，
我嚙我的心肝，

我在我神經上飛跑，
我在我脊髓上飛跑，
我在我腦經上飛跑。

（四）

我便是我呀！
我的我要爆了！

死的誘惑（九月二十九日時事新報）

（一）

我有一把小刀，
倚在窗邊向我笑。
他向我笑道：

沫若！你不用心焦！
你快來親我的嘴兒，
我好替你除卻許多煩惱。

（二）

窗外的青青海水
不住聲的也向我叫號。
他向我叫道：
沫若！你不用心焦！
你快來入我的懷兒，
我好替你除卻許多煩惱。

新月與白雲（十月二日時事新報）

月兒呀！你好像把鍍金的鐮刀。
你把這海上的松樹斫倒了，
哦，我也被你斫倒了！

白雲呀！你是不是解渴的冷冰？
我怎得把你吞下喉去，
解解我火一樣的焦心？

雪朝（女神）

——讀 Thomas Carlyle: The hero as poet 的時候——

雪的波濤！
一個白銀的宇宙！

我全身心好像要化爲了光明流去。

Opən-Secret 喲！

樓頭的簷霤……

可不是我全身的血液？

我全身的血液點滴出 Rhythmical 的幽音

同那海濤相和，松濤相和，雪濤相和。

哦哦！大自然的雄渾喲！

大自然的 S mphony 喲！

Hero-poet 喲！

Proletarian poet 喲！

愚菴評：郭沫若的詩筆力雄勁，不拘拘於藝術上的雕蟲小技，實在是大方之家。而我更喜歡讀他的短東西，直當讀屈原的警句一樣，更當是我自己作的一樣。沫若的詩富于日本風，我更比之千家元麿。山宮允曾評元麿的詩，大約說他眞摯質樸，恰合他自己的主張；從技巧上看是幼稚，而一面又正是他的長處；他總從歡喜和同情的眞摯質樸的感情裏表現出來；惟以他是散文的，不講音節，終未免拖塌之弊云云。我想就將這個評語移評沫若的詩，不知道恰不恰當。不過沫若卻多從悲哀和同情裏流露出來，是與元曆不同的。

陸友白

太平洋的黑潮

（黑潮一卷二號）

太平洋！太平洋！
太平洋的黑潮！
有了風便漲得這樣高；
沒了風便落得那樣低。
咳！太平洋的黑潮！
遠看你是十分平靜；

近看你卻又十分兇險。
咳！太平洋的黑潮！
你爲什麼不在太平洋的東南？偏到太平洋的西北。
我想你也是清清白白的水積成的；
你爲什麼這樣的黑暗？這樣的兇險？
千萬噸的大輪船，也有不穩的樣子了。
無數的男女，正在那裏哭得不了。
咳！太平洋的黑潮！我且問問你罷；
假使大風停了，你便怎樣？
假使有人乘風破浪，你又怎樣？

陳衡哲

「人家說我發了癡」（新青年第五卷第三號）

一九一八年六月的上旬，潘薩女子大學舉行第五十三次的卒業禮。其時我適在病院中。有一天，正取著一張校中的半週刊，看他預告卒業的盛禮，和五十年前的老學生回來團敘的快樂新聞，忽然房門開了，走進一個七十餘歲的老太婆，手舞脚蹈的向我說話。我仔細聽了他一點多鐘，心中十分難過。因此便把他話中的要點寫了出來，作為那個半週刊的肖影。一九一八年六月中旬，衡哲。

哈哈！人家說我發了痴，把我關在這裏。
我五十年前，也在蕃薩讀書。
因此特地跑來，看我小姊妹的卒業禮。
我的家在林肯，離開此地共是一千五百里。
你可曾見過痴子嗎？
痴子見人便打，見物便踢。
我若是痴子，
你看呀——我便要這樣的把你痛擊！
我方才講的什麼？
哦！我記得了。

我不是講到林背嗎？
我在林背的時候，我的老同學約我到此後，在一個院子裏居住。
我便立刻寫信給校中的執事，報名注冊。
豈知到了此地，冊上名也沒有，更不要說起我們的住處。
這還是小事。
我的同學忽然病了，他們便叫我作他的看護婦。
可憐我車子裏幾天的辛苦。
那晚又是一夜沒睡。
明天醫生便來，

說我發了痴，
把我送到這裏。
他們又打電報給我的兒子，
說我智識沒有了，叫他立刻就來。
我兒子他在林肯的西方一千里，離開此地共
是二千五百里。
可憐那個電報定要把他嚇死。
况且他又如何能立刻趕到這裏？
哈哈！你要睡去了嗎？
我可該走了。
我們在月亮的那面再見罷。
哦！你可知道這個金匙是什麽？

我不瞞你說，
我輕年的時候，可也不算是一個平庸的人
哩。
這也不必提起。
記得我前天離開林肯的時候，有無數的親
戚朋友，圍繞了我的車子，說，
『你東去藩薩眞是福氣。
你須把各種的新聞，一一牢記。
回來我們可要細細的問你。』
我說，『這個自然。』
那裏曉得我的大新聞，
就是說我自己忽然變了一個痴子！

明天我回去了，
少不得要說幾句謊話。
不然，豈不要被他們笑死。
哈哈！大家說我發了痴，把我關在這裏。

溟泠評：這種平常的事情，其實很不平常。而在美國社會裏卻較容易有—教育養成的。從舊中國人看去，必以為極幼稚可笑了。殊不知馬援八十歲上馬據鞍，顧盼自雄，正和這個無異呢。

散伍歸來的吉普色（新青年第六卷第五號）

（註）吉普色（Gypsy）乃是歐洲的一種遊民，最初從印度進來的，和中國的逃荒的相像，沒有一定的家鄉。他們過的生活是一種飄泊的生涯。有些人唱歌度日，有些人也會靠點小手藝謀生，有些婦人替人看相算命過日子。

（適）

漫漫的長路，
明明的星光，
指着那無盡無邊的森林，
說：『這是你原來的家鄉！』

四年來血污了雙手，
恨黑了良心，
更被那礮火鎗烟，
迷盲了這兩隻清明的眼睛。
此刻回到家來，
好教我羞愧得無地藏身。

家鄉張開了兩臂，
笑迎着我說：
「歸來了呀！
這裏有如銀的雨絲，
如錦的雲霞；

更有那人兒，
懷着眞醇的愛情，
在那裏眼巴巴的望你回家。」

我低着頭不敢回答，
眼望着我手上的血跡。
家鄉會意，
便笑着向我說：
「那血，我已把他洗去了，
這是你自己復活的新血！」

傅彥長

回想

我在日本的時候
美術品看見過不少；
可惜都不記得十分清楚了。
只有一件不值錢的，
使我現在還要想他。
熱天好天氣的晚上，

我到街上去散步，
街上許多走路的女孩兒
都赤着脚，拖着草鞋。
那種潔白，自然，可愛，
不到日本的人一世也不能享受得！

女神（新婦女第一卷第四號）

希臘的女神，
你們眞是美麗呵——
好像一大盆清水！
西北的蠻民，

惡狠狠的來洗浴，
也就此變得美麗了。

東南的海盜，
兩千多年以來，
卻爲什麼到這裏就退呢？

現在，
西北兩面都好。
東南兩面該怎麼樣？

愚菴評：所謂文藝復興以後的文明，

簡言之，不外就是希臘文明的近代化。希臘文明的菁華在性的道德少拘束，而於物質美上尤注重裸體美。近幾年來的新文化運動，儘管以中國文藝復興相標榜，卻孜孜于求文字枝節的西方化而忽略西洋文明的菁華；譬如開門而棄鑰匙，但事喧嚷，于事何補！中國詩詠歎女性物質美的，三百篇以後，只六朝人偶然有幾首。唐宋以來，可謂入黑暗時代，實為社會凋敝的主因。新詩人果有志于文藝復興運動，不可不着眼此點。傅彥長的詩，只見回想和女神

兩首，㔶髴都具鼓吹希臘文明的意思，
這是很可喜的。

傅斯年

老頭子和小孩子（新潮第一卷第三號）

還是十五年前的經歷；現在想起，恰似夢景一般。

三日的雨，
接着一日的晴，
到處的蛙鳴，
野外的綠烟兒濛濛騰騰。

遠遠樹上的「知了」聲；

近旁草底的「蛐蛐」聲；（一）

溪邊的流水花浪花浪；

柳葉上的風聲辟嚦辟嚦；

高粱葉上的風聲沙喇沙喇；

一組天然的音樂，到入身上，化成一陣淺涼。

野草兒的香，

野花兒的香，

水兒的香，

團團的鑽進鼻去，頓覺得此身也在空中蕩漾。

這一幅水接天連，晴靄照映的畫圖裏，
只見得一個六七十歲的老頭子，
和一個八九歲的小孩子，
立在河崖堤上。
髣髴這世界是他倆的一樣。

（一）我們家鄉叫「蟋蟀」做「蛐蛐」，叫「蟬」做「知了」。

溟泠評：這首詩的好處在給我們一種實感，使我們彷彿身歷其境；尤在寫出一種動象。藝術上創造力所到的地方，更有前無古人之概。

咱們一伙兒（新潮第一卷第五號）

春天杏花開了，
一場大風吹光。
夏天荷花開了，
一陣大雨打光。
秋天梔子開了，
十幾天的連陰雨把他淋光。
冬天梅花開了，
顯他又老又少的勝利在大雪地上。
杏花，荷花，梔子，梅花，——

你敗了，我開。
喒們的總名叫做「花」，
喒們一伙兒。

太陽出了，月亮沒了。
星星出了，太陽沒了。
月亮出了，星星沒了。
陰天都不出，偏有鬼火照照。
太陽，月亮，星星，鬼火，——
喒們輪流照着，
叫他大小總有個光，
喒們一伙兒。

溟朌評：九歌裏有兩句說，『春蘭兮秋鞠，長無絕兮終古』，可以說異曲而同工。

心悸（新潮第二卷第二號）

偏這位不仁的上帝，
化出這麼一個不濟的世界；
進化上萬年，
遍地的人還都顯餓色——
這仍是茹毛飲血的時代。
吃的是人肉，坐的是人皮，抱着骷髏當樂

器，舞着銷子，跳躍在死人羣中，黑烟洞底。
有時血塗遍的地上，也開一兩朶花，
可是血的腥氣深深浸到鼻裏，
使你看不清他的姿致。
你看，那灰茫茫的月色，襯這黑呀呀的時候，照在櫻紅地上，
是一番什麼景地？
再靜聽，遠遠的一片是什麼聲息？
飯在面前，不由的想到，「上帝賜我刼來的飯食。」
看看我和他人身上，都是刼來的衣服。

朋友招宴會，
盛具裏放着無數死屍，
而且同時同地還有人餓着待死。
聰明可喜的人在唐花房裏蒸死；
愚而可愛的人在嚴霜底下收縮死；
好人糊里糊塗死；
歹人强被人加個罪名而死。
反正我每天所接觸的人，
早晚免不了煎着熬着上肉市。
默默的念道，
『我這不是在亂墳堆裏嗎？』

心不悸了！（新潮第二卷第二號）

你不該說上帝不仁，
你要耐着性兒等着！
他救拔世界多少次了，
你還在夢着！
你願他打着你做好人嗎？
你願他趕着你求事業嗎？
你願住到個沒有苦惱，也沒有趣味，最乾燥
不動的世界嗎？
你願他——一句話說吧——拿你當機器用嗎？
波斯掠不了希臘；

迦太基滅不了羅馬。
經過些斯巴達馬其頓萬答兒的踐踏，
總替你保着一點點兒人的文化。
在喀郎打破了闷奴；
在都爾打破了回子；
俄羅斯一旦反真了；
威廉做不成皇帝。
這一綫不絕的『文化』光明，經過千重萬重的『千鈞一髮』的難關，總不會墜地。
他只給你幾個機會，
其餘要問你自己。
你不是整天說『獨立！獨立！』

獨立全是你的力。

信你自己，
信你同時的人，
不該問上帝，
「我和將來是怎樣一回事體？」
上帝在那裏笑你不濟哩！
你只能向他要機會：
他已把機會給你了，
這以後全是你自己的事了！

編者案：這首詩後面，原附有志希的案語，以爲是首人道化的詩；實也不可多得。但我們採詩，取兼收並蓄的度量，無所軒輊。案語似略有偏重，故不收入。

自然 （新潮第二卷第三號）

平伯頡剛諸兄：

你見到我這首沒有藝術的歪詩，或者驚訝和我平日的論調不同，所以我不得不說個明白。

我向來胸中的問題多，答案少，這是你知道的。近二三年來，更蘊積，和激出了許多問題。最近四五個月中，胸中的問題更大大加多，同時以前的一切囫圇吞棗的答案一齊推翻。所以使得我求學的飢，飢得要死，恨不得在這一秒鐘內，飛出中國去。我現在彷彿是個纔會說話的小孩子，逢事向人問，又像我八九歲的時候，天天向長者問道，某人比某人誰好，某件事和某件事那個應該。又我原來有許多不假思索的直覺，每每被我的理論享一樣權力，列在問題單上。

我現在自然在一個極危險麻亂的境地；彷彿像一個草枝飄在大海上，又像一個動物在千重萬重的迷陣裏。

不過我的精神也被這一大團問題的挑戰書刺激了。努力的讀書生活，是我對付他們的唯一的而又保有效果的法子！

我看這些懸念，將來恐怕不能成立起來，因爲太不切我們的生活，而且也太雜亂了，就一成立，卻也沒有什麼不可，只要自信得過。若是終不能成立　還是我現在的「理解」最後戰勝，那正是由「起疑」而「起信」。疑後的信，是更穩固的了。

弟斯年。十月廿五日。

究竟我還是愛自然重呢？
或者愛人生？
他倆常在我心裏戰爭，
弄得我常年不得安貼：
有時覺得後一個有理，
又有時覺得前一個更有滋味。
雖然有滋味，總替他說不出理來；
雖然說不出理來，總覺得這滋味是和我最親

切的，——
就是我的精神安頓的所在。
髣髴紅樓夢的讀者對於林薛樣的，
明知道寶釵是賢，明，有才，立業的良妻，
然而偏要和黛玉神遊於塵世之外。
可見遂生成業未必就是安頓一人的一生的，
遂生成業以外，或者另有一個獨立的世界。
我在現在的世界裏，睜着眼睛，窺這世界，
窺不分析什麽，只依稀見得一團團的趣味，
糾在一塊。
『趣味！』『趣味！』你果眞和我最親切
嗎？

你爲甚麼不能說明你自己來？
你果不是和我最親切嗎？
你爲什麼能有力量，叫我背叛了我的知識，和你要好去？
你的顏色是悲淒的，終日的流淚，
眞有雅典娜的姿態。
從我幾千年前的遠祖，直到了我，無數的被你攝魂去了。
然而多少年代的藝術家，爲你嘔了無數心血，
億萬萬的『有趣味者，』遭了億萬萬場的大劫，

結果還是一場大失敗，
眼看那『有所爲』『有目的，』求善人生的鄙夫，一天一天的開拓起來。
但我終覺得——趣味絕，世界滅；
一點動機，散做無數動機，化成團團的趣味，然後有了世界。
我終願我最親愛的雅典娜多落幾個眼珠兒，換上一個泛悲，泛美，泛愛的世界。
不願那南海觀世音常灑楊枝水，超脫我們快樂自在。
人生啊！我的知識教我信你賴你！
自然啊！我的知識教我敬你遠你！

我信我的知識，我不能不聽他的話：
然而我的趣味弄得我和我的知識神離了。
究竟我這知識是假知識呢？
或者我的感情是撒旦？
前面的光明啊！我陷在這裏了！快引個路兒！

愚菴評：世界所以不滅者，在乎矛盾。世人執有執無，執動執靜，務想求個一致，譬如澆水洗煤炭，徒見其愚能了。書越讀越糊塗，而不能不讀。就是涅槃也是一種自欺的假象。那麼怎

麼樣呢？還是順宇宙矛盾的眞理，各
行其是爲是呵。
『前面的光明呵！我陷在這裏了！快
引個路兒！』最是感人。卻是，是强
者的呼聲呢？還是弱者的呼聲呢？

寒星

E絃（新潮第二卷第一號）

Violin上的G絃，
一天向E絃說，
『小兄弟，
你聲音眞好——
很漂亮，很清高。
但是我勸你要有些分寸兒，

不要多噪。
當心着！
力量最單薄，
最容易斷的就是你！』
E絃說，
『多謝老阿哥的忠告！
既然做了絃
就應該響亮，
應該清高，
應該不怕斷。
你說我容易斷，
世界上卻並沒有永遠不斷的你！』

粟如評：這首詩大可以促鄉愿派的反省。

選年詩新

■ 蕙

夜步出宣武門聞橋下水聲潺潺

（平民教育第十五號）

天下明的是星嗎？怎麼多呢！
照我到街頭，城外，河邊。
四下裏靜悄悄的，
只有北風——很剛勁的北風，
送着汽車，馬車，人力車過去了。
過去了。你們怎不開口啊！

遠巷裏幽幽宛宛的聲音：
這是甚麽？是兒歌嗎？
你歌的是甚麽，
家的快樂嗎？
我也有家；
我的家在那裏？我的世界在那裏呢？
看見了；我彷彿看見了。
一個可憐的人，瑟瑟瑟瑟，迎着北風。
你怎麽不開口啊！
我知道了：
我們都有家，你這可憐的無家的人啊！

星！我看見你們的世界了，
怎麼這麼光明啊！
照我到街頭，城外，河邊，
四下裏靜悄悄的，
只有萬人踏過的橋；
橋下水聲，崩騰澎湃。
你是自然的聲音，自然底祖母的美笑啊！

（一九一九歲除日）

黃琬

自覺的女子（新生活第十七期）

我沒見過他，
怎麼能愛他？
我沒有愛他，
又怎麼能嫁他？

爸爸說，——

『禮教應當遵守。
已經受過人家的聘，不能變卦的。』
我說，——
『這簡直是一件買賣，
拏人去當牛馬罷了。
我要保全我的人格，
還怎麼能承認什麼禮教呢？
爸爸！你要一定强迫我，
我便只有自殺了！』

編者案：這首詩在藝術上沒十分出色，卻儘有歷史材料的價值。

■ 愛我

爲著你的事 （第一卷第一號工學月刊）

爲著你的事，
使我一夜三反四復的想。
越想越著急；
越想越害怕！
天要亮了，

什麼都想透了，
再也不能想了，
我方才睡著了。

天還沒有亮，我又醒了。
又三反四復的想。
眼睛睜得酒盃樣大，瞧着窗外的微光，
再也閉不攏。

（八月十三日）

葉紹鈞

我的伴侶！（新潮第二卷第二號）

我的伴侶呵！政客，官僚，軍人。
你也有微妙和愛的心靈；但輕輕的遮着一層薄雲。
你也有承前啓後，影響社會的責任；但淡淡的忘了『那裏是前程』？
你蝸在泥潭裏，不自知覺，反道『現世便是

黃金』！

你笑着說，得意着說，我只聽得一片可憐的

聲音！

你笑着做，得意着做，我只看見一派可憐的

行徑！

這聲音，行徑，籠罩着世界，呈個什麼色彩

？

我可憐你，也因可憐世界，可憐自己，——

世界是你我的仕場，你我是進行的同隊。

你不想罷了，想了那有泥潭裏可以安睡？

我祝禱你從泥潭裏跳將起來！

一點心靈，把薄雲衝碎！

認清前程，把南針準對！

我的伴侶呵！ 你以爲你現在的行爲可以淑世？

我把『君子之心』度人，也承認你的志願，熱心，勇氣。

但請看你那行爲的結果，是什麼樣子？
爲何有衣食不足的哀鳴？
爲何有精神煩悶的悲吟？
爲何單讓『物質』兩字，形容那『文明』？
爲何令一般『憂世者』，理性不能調和感情？

恐怕你那志願，熱心，勇氣，是白用了罷？
沒意思罷？
走錯了路，就該轉身，你也轉身罷！

我的伴侶呵！ 你現在的行爲，以爲是維持
生命必需的？
維持生命，原是天賦的權利，人人應得。
到不能維持時，便該徹底討究，根本解決。
倘然委屈求全，謀衣謀食；
生命果維持了，精神上怎不加上幾重鬱結？
再請你想，有別的方法維持生命麼？
這是人生最緊要的事嗎？

維持生命的材料，像春郊的草，俯拾卽是，
你卻走了迂遠的路，埋沒了精神去取得他，值
得嗎？

我的伴侶呵！我祝禱你從泥潭裏跳將起來！
一點心靈，把薄雲衝碎！
認淸前程，把南針準對！
拋卻你的政策，威權，兵器！
運用你的智慧，可以謀利世的計畫，撰利世
的文字。
運用你的體力，可以製造器具，種植禾黍。
到這時，你是學問家，也是工人。

再請看世界，是不是更為光明？
你的生活，是不是更為幸運？

飛鴻評：此詩用意甚合於詩人的眞精神，與一味謾罵者不同。讀者看他的題目及中間種種替人設想的地方，便知道他是哀憐他們，希望他們，不是痛恨他們。近人做詩，對於他所不滿意的人，動輒就有一種『投畀有北』，『投畀豺虎』的氣概。殊不知這種氣概，早已失了詩人的眞精神了。

裴慶彪

愛的神（新潮第一卷第三號）

這是春天的天氣；日光照得很暖，風微微的吹動。

小孩們見天氣好，便都出門，到公園裏去尋玩意。

他們的神氣，活潑潑地，人家看了，眞是歡喜。

小孩的可愛，和春天的可愛，本是一個道理。

這是春天的天氣；日光照得很暖，風微微的吹動。

小孩們拿着書包，三三兩兩上學堂去。

他們走過田地，不小心，踏壞了新秧，推倒了竹籬。

老農見了，心上好氣；但是他看了小孩的神氣，他心上又不止的歡喜。

劉復

車毡（新青年第四卷第二號）

天氣冷了，拚湊些錢，買了條毛絨毯子。
你看鋪在車上多漂亮，鮮紅的柳條花，映襯着墨青底子。
老爺們坐車，看這毯子好，亦許多花兩三個銅子。
有時車兒拉罷汗兒流，北風吹來，凍得要死

自己想把毯子披一披，卻恐身上衣服髒，保
了身子，壞了毯子。

賣蘿蔔的（新青年第四卷第五號）

（這是半農做「無韻詩」的初次試驗）

一個賣蘿蔔的——狠窮苦的，——住在一座破廟
裏。一天，這破廟要標賣了，便來了個警察
，說——
『你快搬走！這地方可不是你久住的。』
『是！是！』
他口中應着，心中卻想——

「叫我搬到那裏去！」

明天，警察又來，催他動身。

他瞠着眼看，低着頭想，撒撒手，踏踏脚，

卻沒說，「我不搬。」

警察忽然發威，將他摔出門外。

又把他的竈也搗了，一只砂鍋，碎作八九片

！

他的破蓆，破被，和蘿蔔擔，都撒在路上。

幾個紅蘿蔔，滾在溝裏，變成了黑色。

路旁的孩子們，都停了游戲奔來。

他們也瞠着眼看，低着頭想，撒撒手，踏踏

脚，卻不做聲！

警察去了，一個七歲的孩子說，

『可怕……』

一個十歲的答道，

『我們要當心，別做賣蘿蔔的！』

七歲的孩子不懂；

他瞠着眼看，低着頭想，卻沒撒手，沒踏脚

。

窗紙（新青年第五卷第一號）

天天早晨，一步醒來，看見窗上的紙，被沙

壁封着，雨水漬着，斑剝陸離，演出許多幻象：——

看！這是落日餘暉，映着一片平地，卻沒人影。

這是兩個金字塔，三五株棧櫚，幾個騎駱駝，拿着矛子的。

不好！是滿地的鮮血，是無數骷髏，是赤色的毒蛇，是金色的夜叉！

看！亂轟轟的是什麼？——是拍賣場；正是萬頭鑽動，人人想出廉價，收買他鄉人的破產物！

錯了！是隻老虎，怒洶洶的坐在樹林裏，

想是餓了！
不是！是一蓬密密的鬍鬚，襯着個Tolstoj
的面孔，——好個慈善的面孔。
又錯了。Tolstoj已死，究竟是個老虎！
還不是的；是個美人——美極了。
看！美人爲什麽哭？眼淚太多了——看
！——一滴——兩滴——一斛——兩斛——竟是波浪滔
滔，化作洪水！
看！滿地球是洪水，Noah的方船也沉沒了
——水中還有妖怪，吞吃他的屍首！
看！好光明！天邊來了個明星！——唉
！——是個慧星！

無聊

（新青年第五卷第一號）

陰沉沉的天氣，

裏面一座小院子裏，楊花飛得滿天，榆錢落得滿地。

外面那個大院子裏，卻開着一棚紫籐花。

花中有來來往往的蜜蜂；有飛鳴上下的小鳥；有個小銅鈴繫在籐上。

春風徐徐吹來，銅鈴叮叮噹噹，響個不止。

花要謝了；嫩紫色的花瓣，微風飄細雨似的，一陣陣落下。

桂

（新青年第七卷第二號）

半夜裏起了暴風雷雨，
我從夢中驚醒，
便想到我那小院子裏，
有幾株正在開花的桂樹。
是，
他正開着金黃的花，
我為他牽記得好苦。
但是展轉思量，
終於是沒法兒處置。

明天起來，
雨還沒住。
桂樹隨風搖頭，
洒下一滴滴的冷雨。

院子裏積了半尺高的水，
混和着墨黑的泥土。
金黃的桂花，
便浮在這黑水上，
慢慢的向陰溝中流去！

忠菴評：劉復的詩描寫甚細而筆力稍弱。但如窗紙，無聊，桂等首，都顯十足的詩意。無聊一首，尤不能以無病呻吟菲之。本來詩人都帶幾分無病呻吟。以無病呻吟四個字批評文藝，可謂不懂得文藝。不過程度上終見好壞罷了。

闕名

懺悔（星期評論第二十五號）

一個舊朋友，從前本是爲人道盡過幾多貢獻的人，可惜後來因爲許許多多的複雜原因，走到人格墮落的路上去。因爲人格的墮落，又感受了許許多多的痛苦。　近來忽然有一封信給我，當中有幾句話說，「近一年來，大有覺悟，誓願此生竭盡力量，改造社會，無論能力夠不夠，效果有沒有，總抱定宗旨努力向前做去。　決不再作政客的生話——　我接到這封信，心裏十分的感謝，十分的快活，也免不了十分的感傷。　我把這封信給一個朋友看，他說，「這固然很好，但是還要看他的將來如何？」　我聽了這位朋友的批評，再把那位舊朋友的信，一字一字的又看了幾遍，我總很讚美很感謝很敬重他這懺悔的人格。　我默默的祇福他、希望他努力顯現他懺悔的人格，同時就可以用人格的顯現力，去除這位朋友所加的那種批評。　他還有一首詩，我覺得也很深刻很沉痛，現在把他寫在下邊。——季陶。

黑沉沉的房屋，
四圍上下不見一星兒光。
我似睡非睡似醒非醒的，

眼前不知道是什麼境界。
只覺得孤寂，迷悶，恐怖，悽涼。
我待要翻身，
好像有個毛茸茸的怪物在身上壓着。
掙扎了好半天，
一動也動不得。
血管也脹滿了。
汗珠也出來了。
鐺！鐺！鐺！鐺！鐺！
壁上的鐘正敲了五響，
方才壓住我的東西那裏去了。
翻身過來，定神一看，

牕子上已微微的現著白光。
太陽呵！ 你快些出來呵！
有你的光明照着，
可怕的黑暗境界，也就再不敢出現了。

編者案：就星期評論後幾期的文章看，這首詩似乎是孫毓筠做的。勿論他是誰做的，也無論他做詩後的行爲如何，只這當前的懺悔已夠自薦于光明了。

羅家倫

天安門前的冬夜（新潮第二卷第一號）

黑沉沉的天，
緊貼着深灰色的土。
四面望不見一個人影，
好像我一身站在荒野裏——
渺無聲息——
心頭所有的——孤寂，荒涼，恐怖！

光啊！　你在那裏？

一陣溼風，
送來滿臉的濃霧。
霧裏面忽然有一顆隱隱約約的微星，——
『叮——噹！』
星前髣髴有個東西在動，——
那也是人嗎？……

顧誠吾

雜詩兩首（新潮第一卷第四號）

（一）

我到鄉下去看我家裏的墳；
覺得山色湖光在在可愛。
到了墳丁家，他主人卻不在那裏，
祇見一個孩子，約莫十二歲的左右。
我同他談談，說，

『你到過城裏麼？』
他說，
『我到過已有三次了。』
『好玩麼？』
『眞好玩！　來來往往的人，連連絡絡的不斷。』
『我做了城裏人，到羨慕你鄉下的景緻，想來住下呢。』
他說，
『噫！　鄉下人要耕田，要背柴。　你會做麼？』
『你怎見得我不會？』

他笑着說道，
『你們城裏人，只會吃吃，白相相。』（一）

（二）

我到杭州去，恰坐了省長囘衙門的一次車；
沿路站了許多的兵警，舉着鎗，吹着喇叭；
小站小接，大站大接，車行遠了，還聽見嗚嗚的餘音。
許多同車的體面人，聚作一團，互相談論着。
一個說，『我們今天眞是附驥尾呀！』
又一個說，『我們今天可算自備資斧接省長！』

又一個說，『我們怎能夠有這樣的一天呢！
』

又一個說，『我也看見舉鎗，也聽見喇叭，
便算他們迎接的只是我罷！』

對面有一個婦人，拿抱在臂上的小孩，聳了
兩聳，說，『好看呀！』

遠遠的一座，也有一個婦人，說，那些吹喇
叭的，眞像些痴子。』

（一）吳諺，「吃吃白相相」，就是北方人所謂「吃，
喝，逛。」

愚菴評：這兩首詩看來是用最簡單最

經濟的文學手腕寫的；但我曾見許多着意做短篇小說的還沒做出。我也很難說出他的好處，卻覺得他的好處也就貴在說不出。讀者以爲神秘麼？

Y Z

戀愛（新青年第五卷第六號）

自然的戀愛，你在什麼地方？
明明的月光，對着海洋微笑。

餘載

一九一九年詩壇略紀

編者

呂覽載塗山氏之女候禹于塗山之陽，作歌。歌曰，「候人兮，猗！」實始作爲南音。又載有娀氏有二佚女，作燕燕之歌。一終曰，「燕燕往飛。」實始作爲北音。南北二音之祖，都是以白話作的。

也惟其越在遠古，越是以白話作詩。下及漢魏六朝，文言的分離越甚，白話才不能入詩。唐人復古，又漸有作白話詩的。自李義山爲西崐體之宗，專以用事僻澀爲事，而文章一厄。其後以白話長短句入詩而與詩的嫡派分家，自命爲詞爲曲。其作白話詩的仍然不少。元明以來，更盛行白話小說。白話文學之在中國，已經有六七百年了。

可惜古人不斤斤于爭正統，以致新文學久不昌明。戊戌以來，文學革命的呼聲漸起。至胡適登高一呼，四遠響應，而新詩在文學上的正統以立。所謂識時務者爲俊傑，可不是麼？

最初自誓要作白話詩的是胡適，在一九一六年，當時還不成甚麼體裁。第一首散文詩而備具新詩的美德的是沈尹默的月夜，在一九一七年。繼而周作人隨劉復作散文詩之後而作小河，新詩乃正式成立。最初登載新詩的雜誌是新青年。新潮每週評論繼之。及到『五四運動』以後，新詩便風行于海內外的報章雜誌了。

胡適著文學改良芻議，劉復著詩論，俱開提倡新詩之端，而不與新詩生直接關係。一九一八年錢玄同爲嘗試集作序。一九一九年胡適作談新詩，登在星期評論上。又作嘗試集自序。兪平伯著白話詩的三大條件登在新青年上。都是專論新詩的文章。

自新潮出世後，日本的報章雜誌如大阪每日新聞中央公論等，翻譯中國新詩的頗多。而康白情傅斯年的翻譯過去的尤多。

直到一九一九年，新詩還沒有出過集子。寫不上多少句，要緊的事已記完了。中國詩壇這樣寂寞，眞令人說來抱愧！更怕友邦的詩人看見，替我們抱愧！但我們在這裏，卻不能不强顏自解幾句。要知道中國詩人實在還是很多的。試看那家報紙，沒有幾句五七言做文苑？沒有幾則詩話詩說做閒談？不過做新詩的還少罷了。不久做舊詩的都成了做新詩的，那怕詩人不盈千累萬？那麽再爲詩壇記事就不容易了。

北社的旨趣

北社同人

北社發起於一九二零年，距今已兩年了。他並沒有章程，也沒有名義上的職員，也不曾讓世人知道。但他的進行卻很順遂。現在因爲要發刊點東西，便要略擬幾條章程，也要有名義上的職員，也就不能不讓世人略爲知道了。

北社是由幾個喜歡鑑賞文藝的同志組織的。其中有教育家，有學生，有公司職員，有通信記者，質而言之，早晚都是些工人。

北社重在讀書；而讀書是爲己的，不是爲人的。有時候也把讀書的結果，總括的發表點出來。他的態度是寓作於述。他所做的事是犧牲，以犧牲爲快樂，在犧牲裏求自己的滿足。

北社讀書的信條是虛心；自己沒有成見，甚麼書都肯讀，甚麼書都要讀出他的益處。他沒有甚麼好惡。他的批評力求公平。他對社會作的事，也不十分為社會計功利，但求心之所安。

一九二二年四月。

中華民國十一年八月初版

新詩年選（全）
每册定價洋五角
外埠酌加郵費

編者　北社
發行者　亞東圖書館
上海五馬路棋盤街西首
印刷者　亞東圖書館
上海五馬路棋盤街西首
分售處　各省各大書店

加新式標點符號分段的

三國演義

「五百年來，無數的失學國民從這部書裏得着了無數的常識與智慧，……學會了看書寫信作文的技能，……學得了做人與應世的本領。」（胡序）

洋裝兩冊　兩元八角

平裝四冊　兩元二角

三國演義序　胡適之先生

三國演義序　錢玄同先生

上海亞東圖書館發行

加新式標點符號分段的

紅樓夢

紅樓夢考證……胡適

答胡適書……顧頡剛

考證後記……胡適

紅樓夢新叙．陳獨秀

打破從前種種穿鑿附會的「紅學」，創造科學方法的「紅樓夢」研究！

（全書近一千二百頁）

｛定價｝

洋裝三冊 四元二角

平裝六冊 三元三角

上海，亞東圖書館發行

加新式標點符號分段的

古本西游記

現在市上通行的本子，不是完全的，是刪節的。這個古本是依據乾隆本翻印的。全書比今本約多十分之二三。

新叙 胡適之先生

新叙 陳獨秀先生

（全書一千餘頁）

｛定價｝

洋裝兩冊 三元二角

平裝四冊 兩元五角

上海，亞東圖書館發行

胡適之先生著 嘗試集

到北京以前的詩爲第一集，以後的爲第二集；在美國做的文言詩詞删剩若干首，合爲去國集，印在後面作一個附錄。

已經再版。有再版自序，有新加入的詩。

定價大洋三角。

胡適之先生譯 短篇小說

集中都是選擇最精，可爲短篇範本的小說。後附胡先生所作論短篇小說一文。

已經四版，定價三角。

田壽昌宗白華郭沫若合著的 三葉集

討論的問題是：歌德文學，詩歌問題，近代劇曲，婚姻問題………定價三角五分。

上海，亞東圖書館發行

THE ORIENTAL BOOK COMPANY